Olam Katan

PRESS

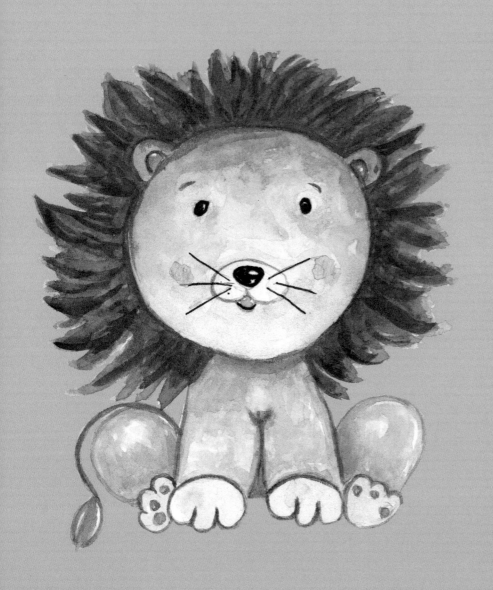

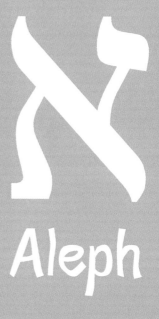

א

Aleph

אַרְיֵה arye

ב

Bet

בַּרְוָז barvaz

ג

Gimel

גָּמָל

gamal

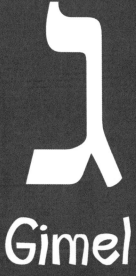

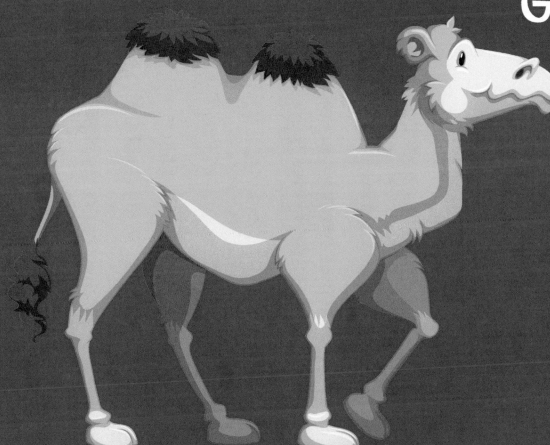

דֹּב

dov

ד

Dalet

ה

Heh

הִיפּוֹפּוֹטָם

hipopotam

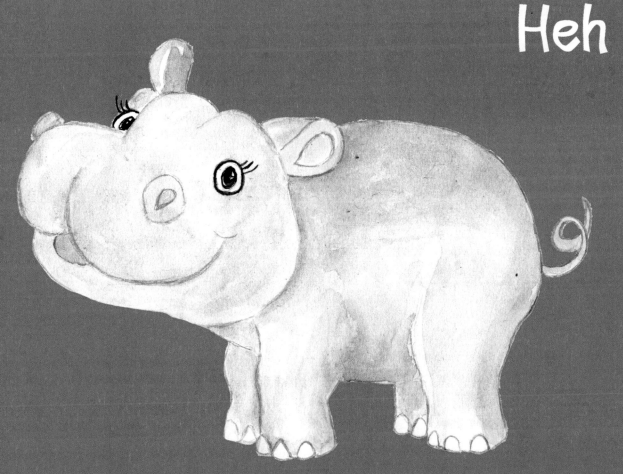

ו

Vav

וּוַלְבִּי

wallaby

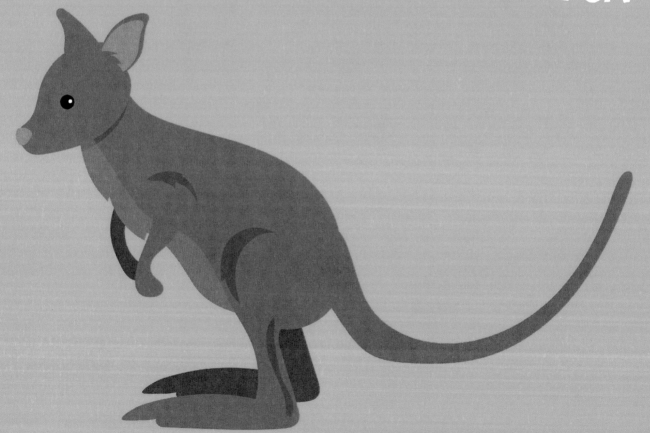

ז
Zayin

זֶבְּרָה zebra

ח

Chet

חָתוּל

chatul

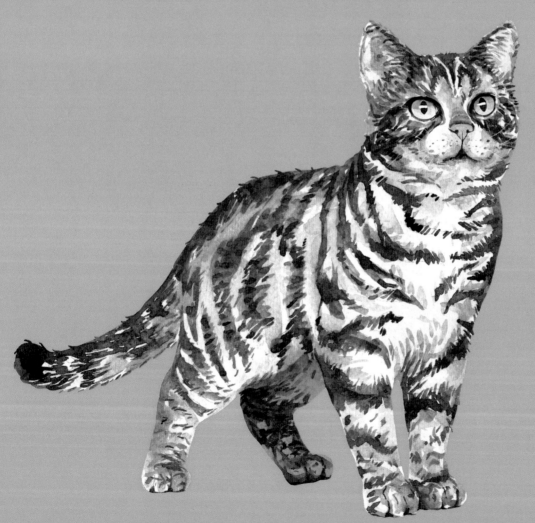

ט

Tet

טַוָּס

tavas

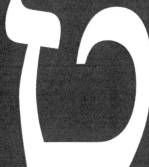

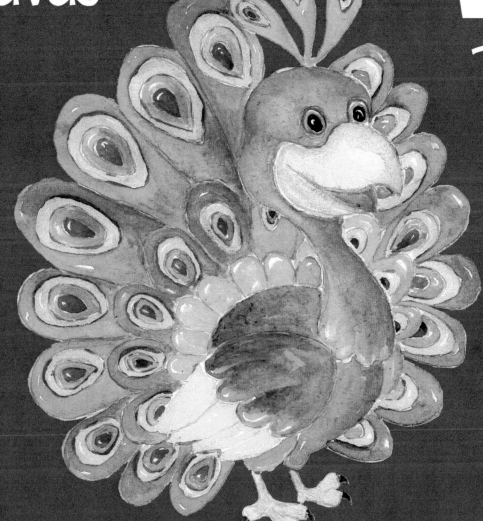

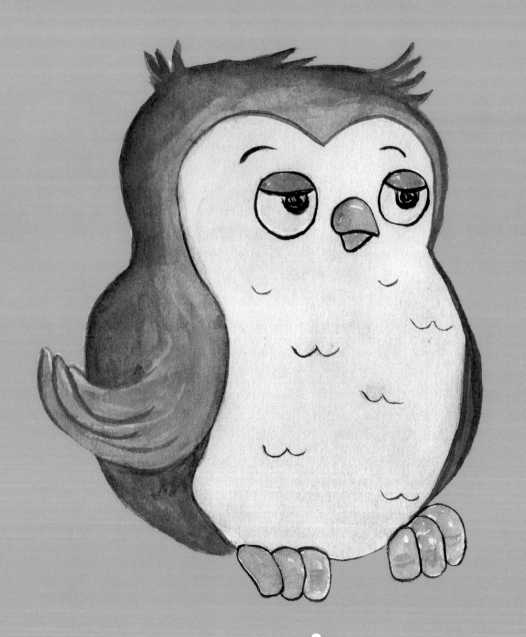

י

Yod

יַנְשׁוּף yanshuf

כ

Kaf

כֶּלֶב

kelev

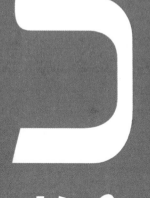

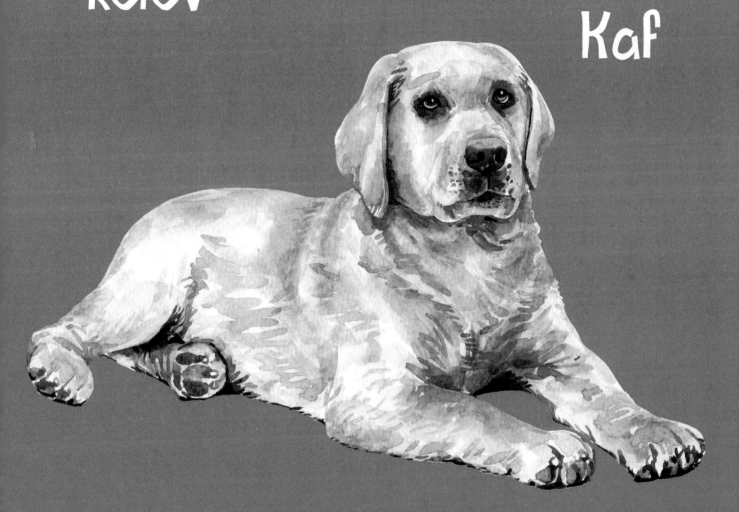

ל

Lamed

לִוְיָתָן

livyatan

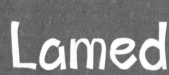

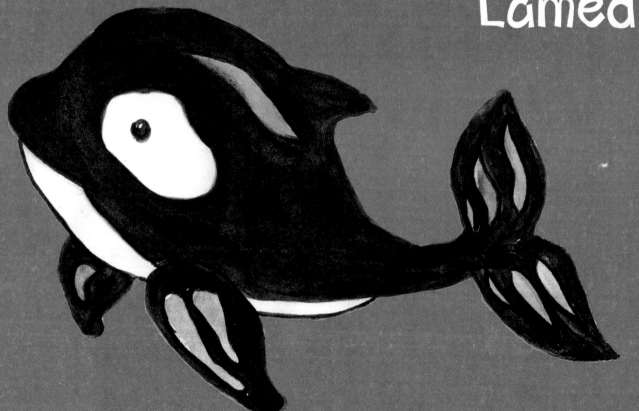

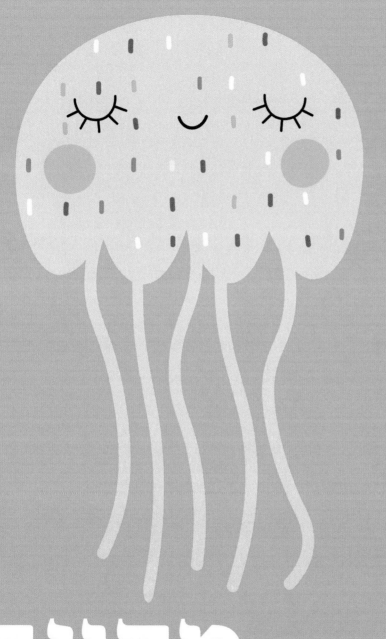

מ

Mem

מֵדוּזָה meduza

נָחָשׁ

nachash

נ

Nun

סוּס
sus

ס
Samekh

ע

Ayin

עַכְבָּר achbar

פּ

Peh

פִּיל

pil

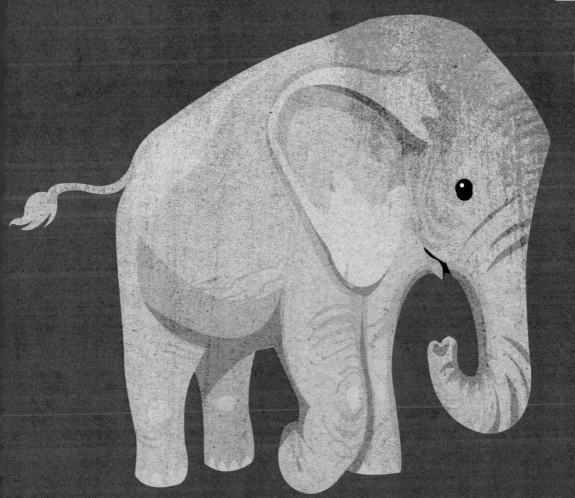

צ

Tzadi

צָב tzav

ק

Kof

קוֹף

kof

רָקוּן

rakun

ר

Reysh

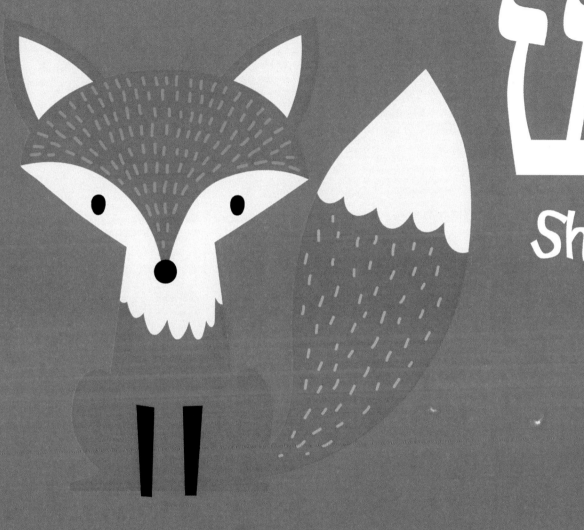

ש

Shin

שׁוּעָל shual

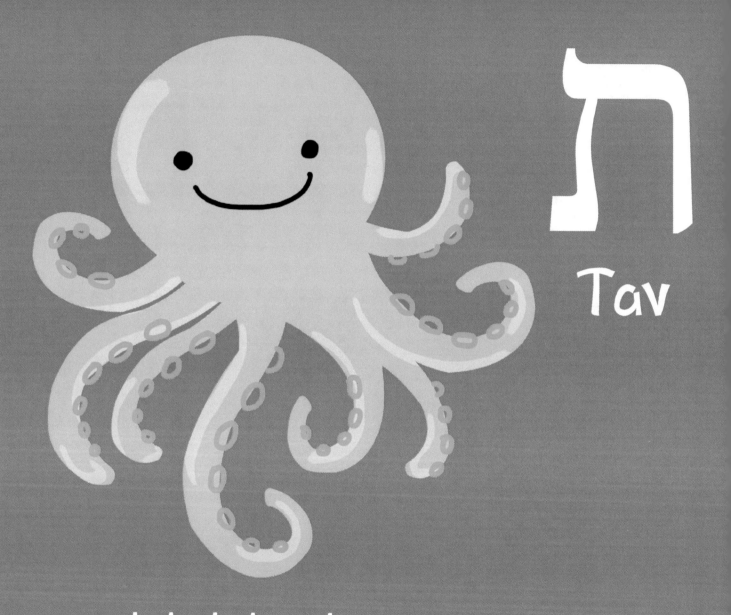

ת

Tav

תְּמָנוּן temanun

ח	ז	ו	ה
Chet	Zayin	Vav	Heh
ע	ס	נ	מ
Ayin	Samekh	Nun	Mem
		ת	ש
		Tav	Shin

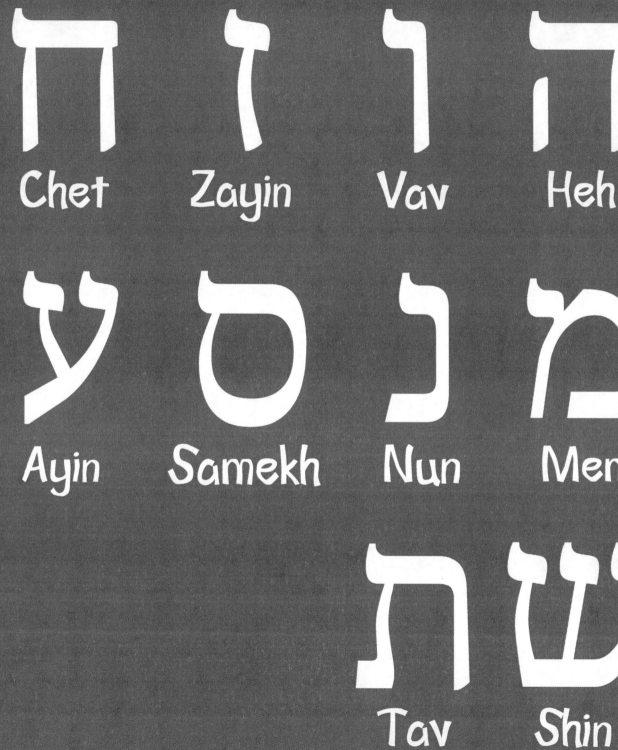

ד	ג	ב	א
Dalet	Gimel	Bet	Aleph
ל	כ	י	ט
Lamed	Kaf	Yod	Tet
ר	ק	צ	פ
Reysh	Kof	Tzadi	Peh

ת

ט

ד

מ

א

ע

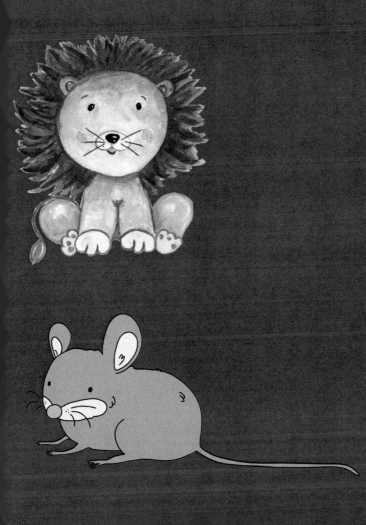

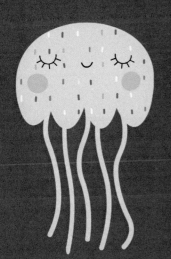

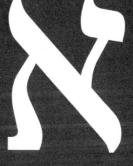

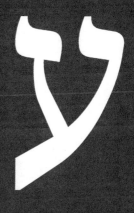

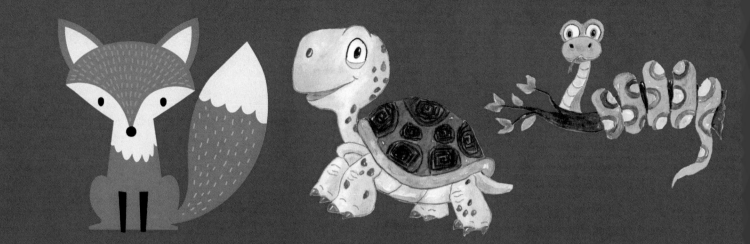

צ ש נ

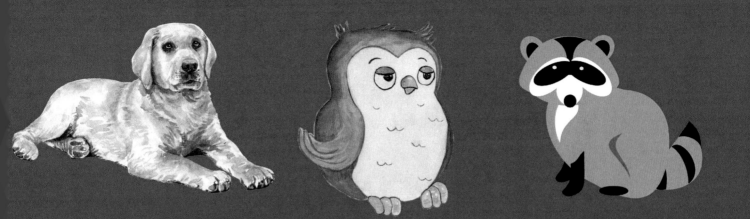

כ ר י

פ ה ז

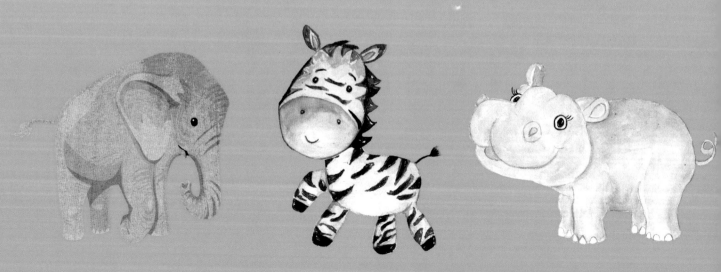

ק ו ס

ח

ב

ל

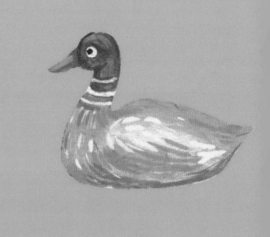

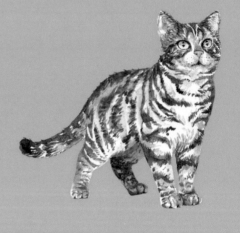

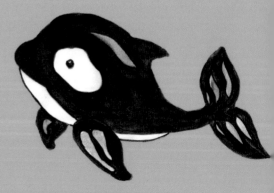

ג

צ

ד

If you enjoy this book, please
do support us by leaving an
honest review on Amazon.
Thank you!